Activity Book for

VALENTINE'S DAY

Ages 6-12

I Love you

Includes Mazes, Word Search, Sudoku, Drawing, Dot-to-Dot, Picture Puzzles, and Coloring

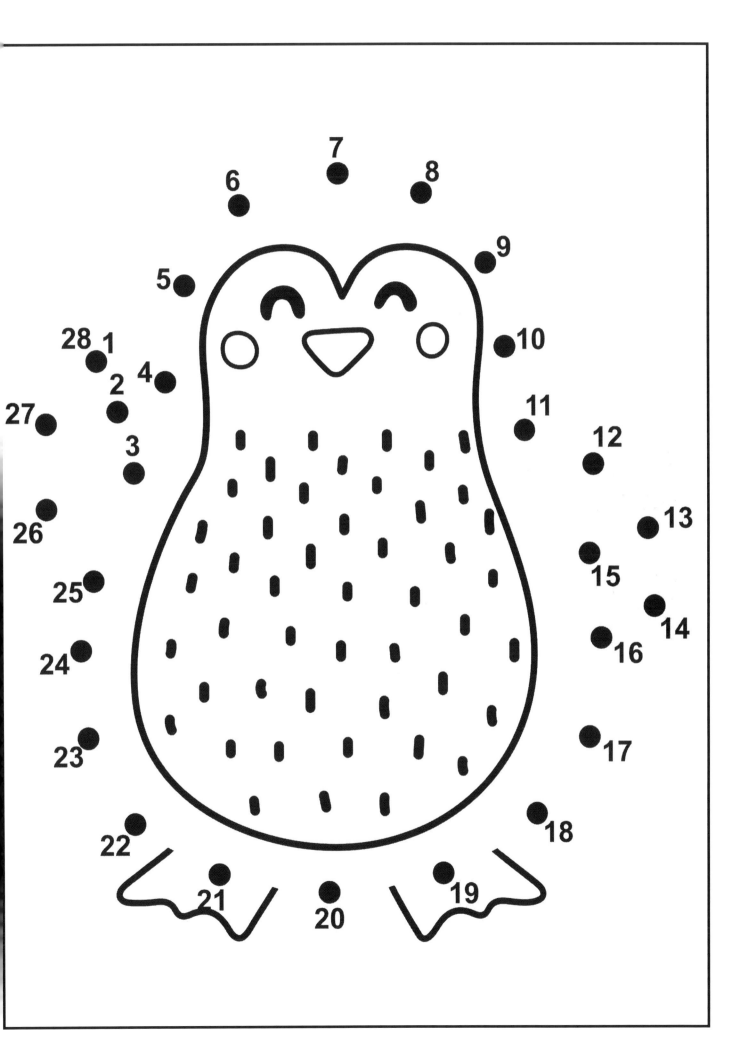

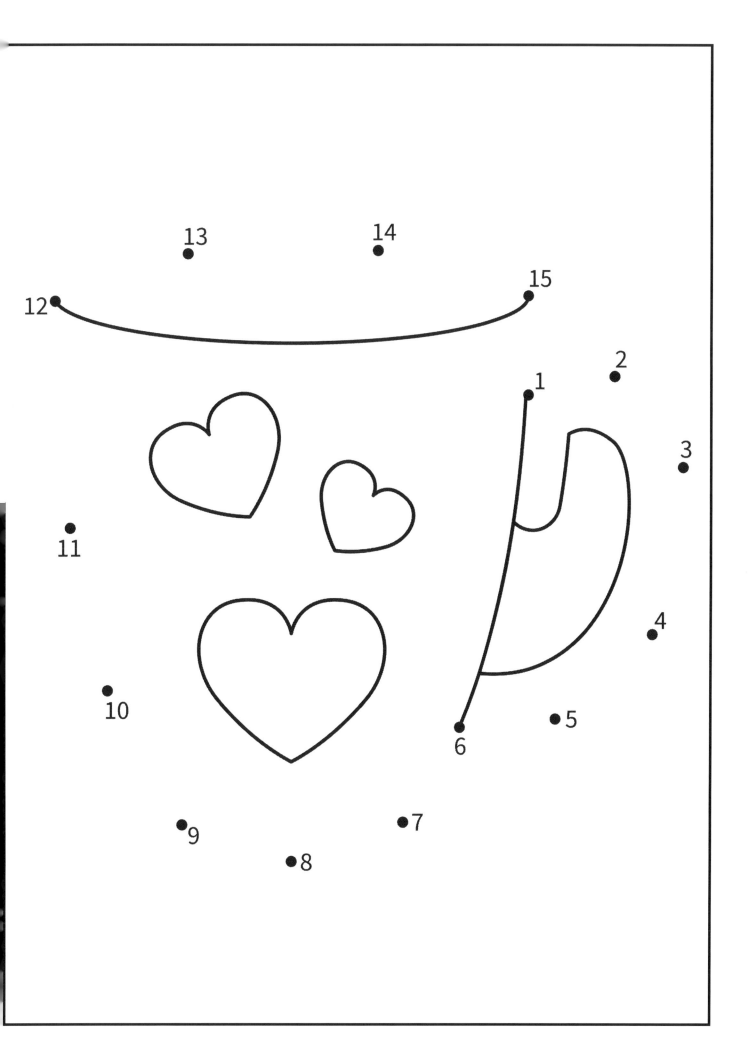

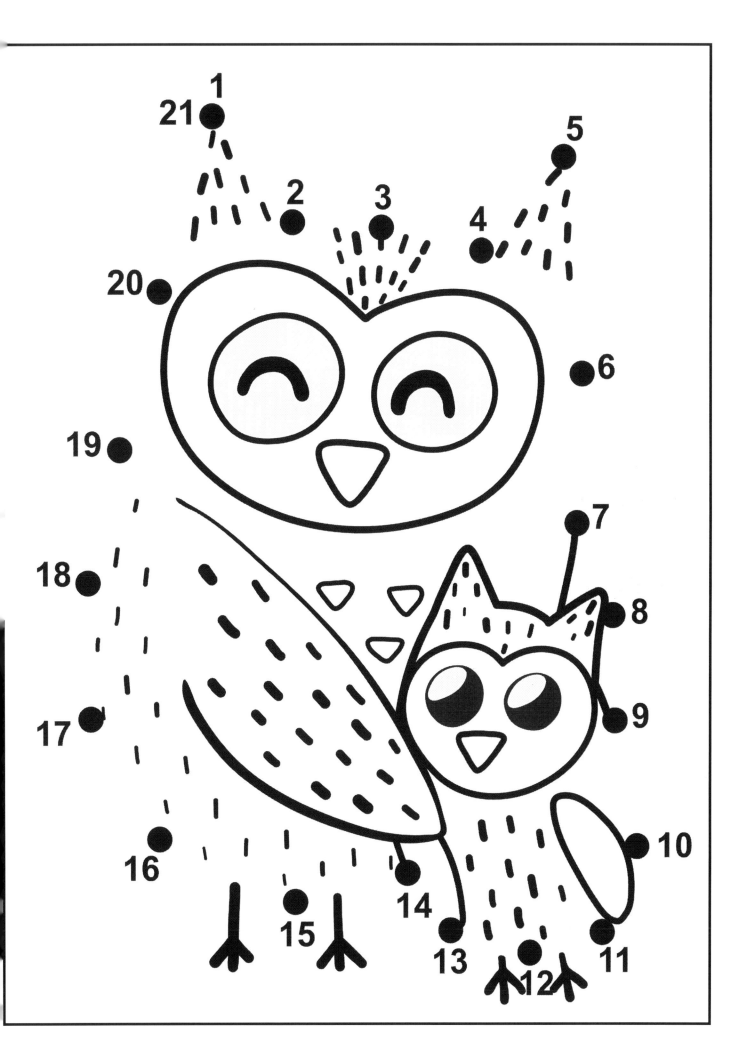

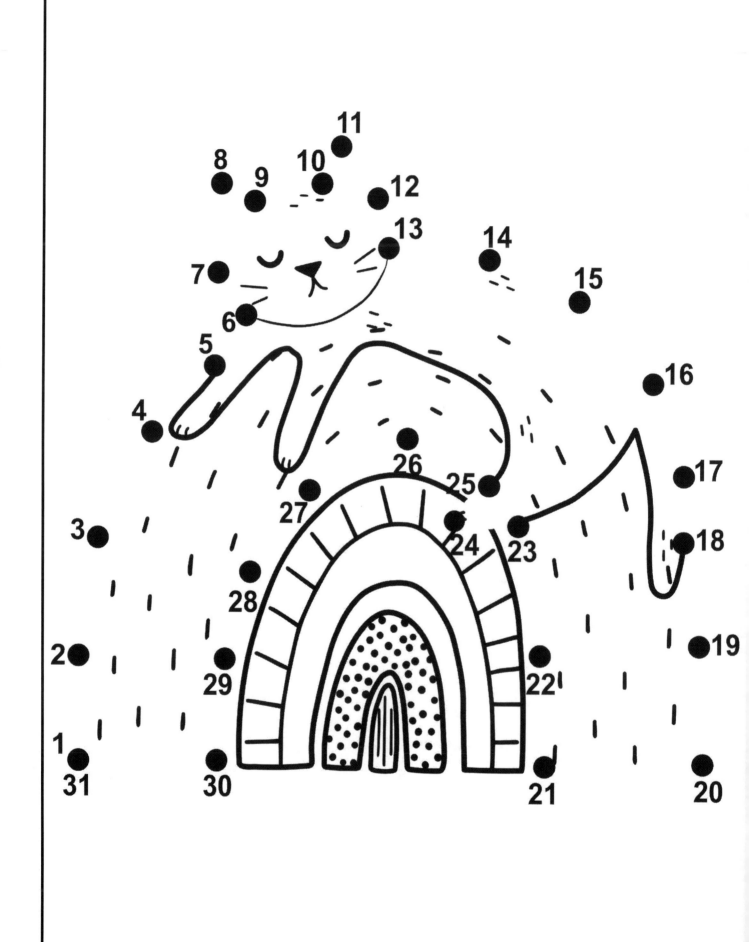

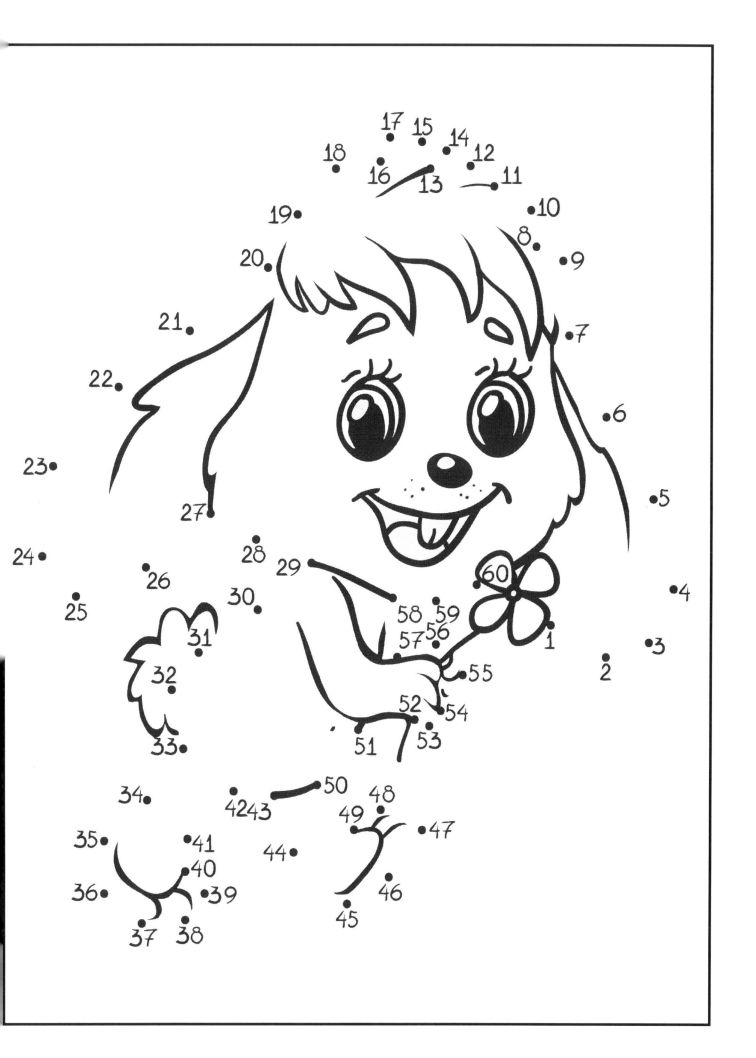

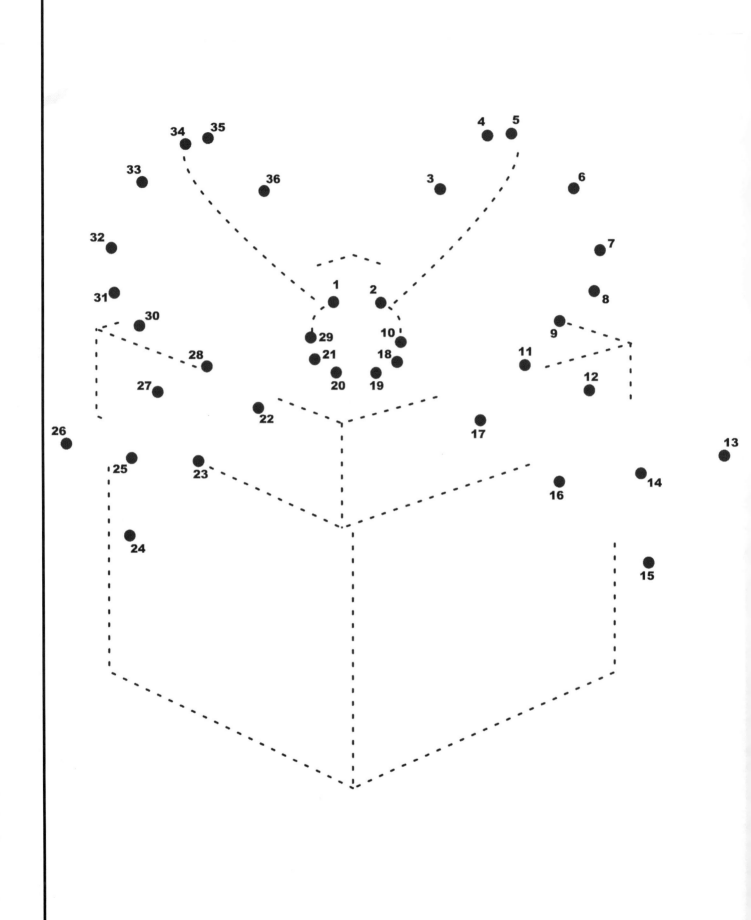

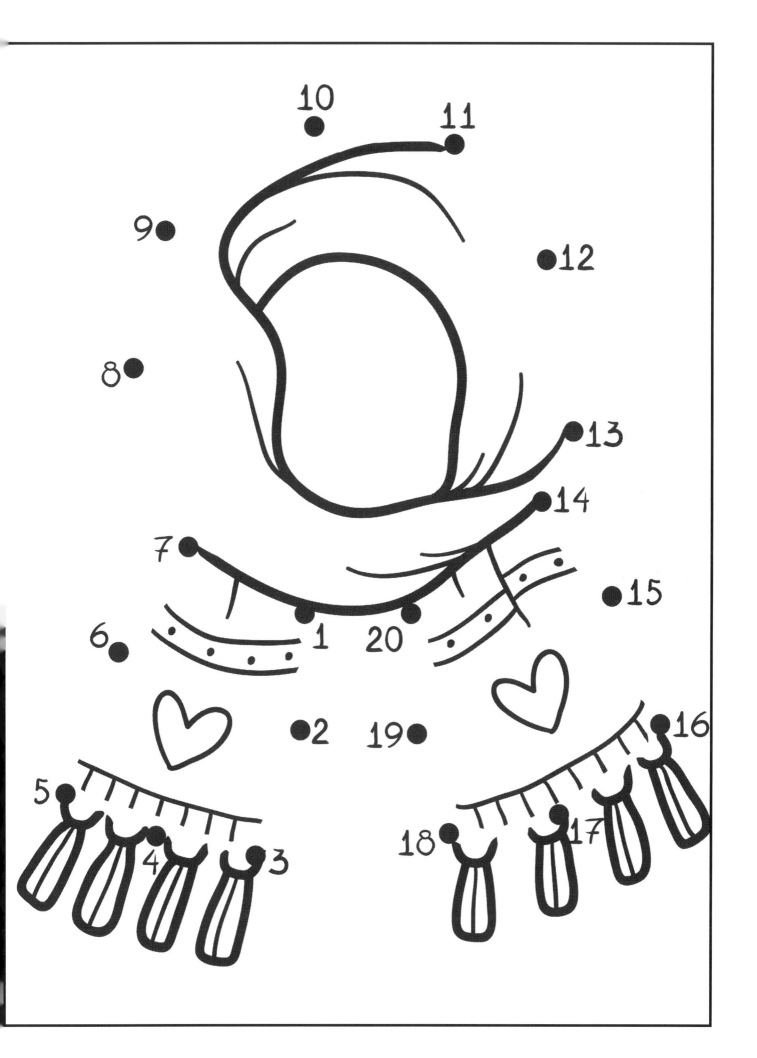

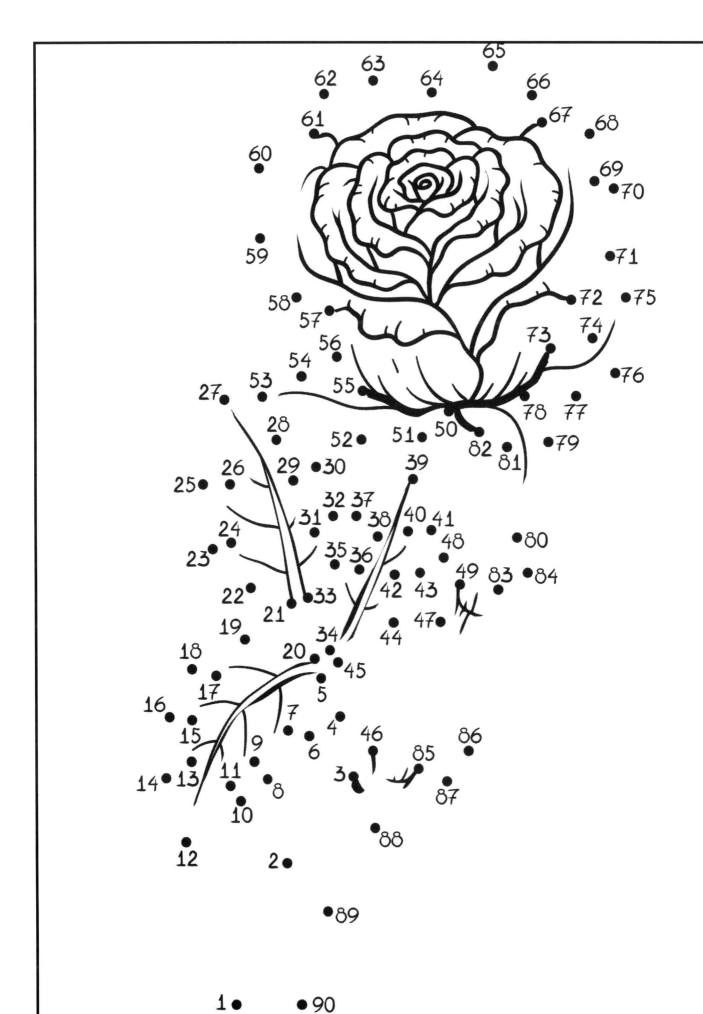

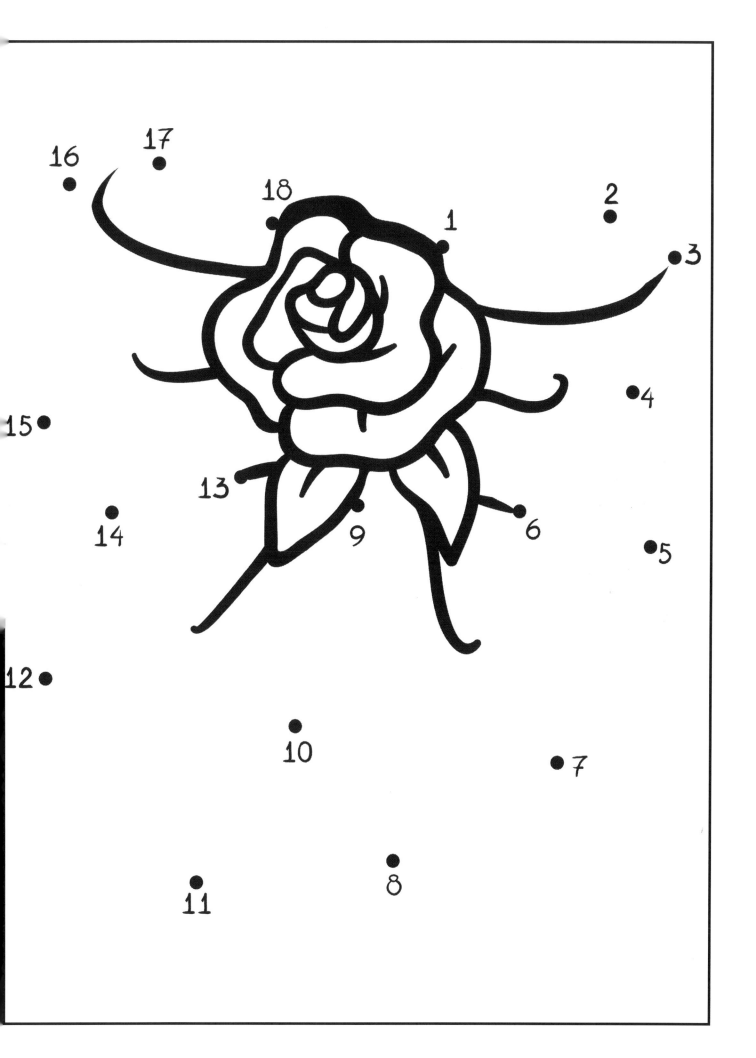

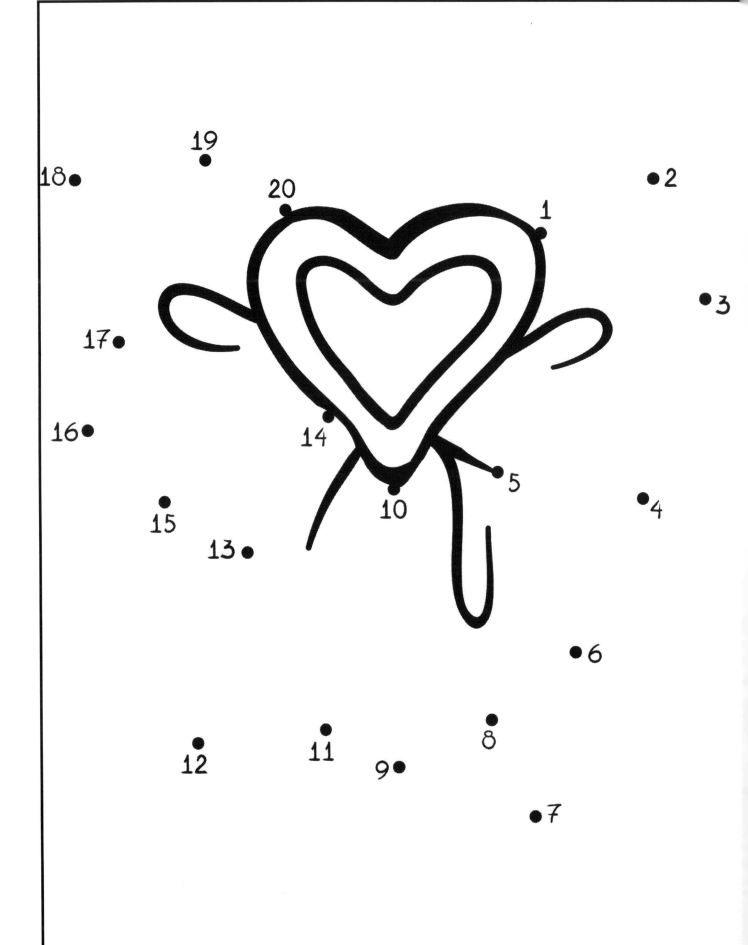

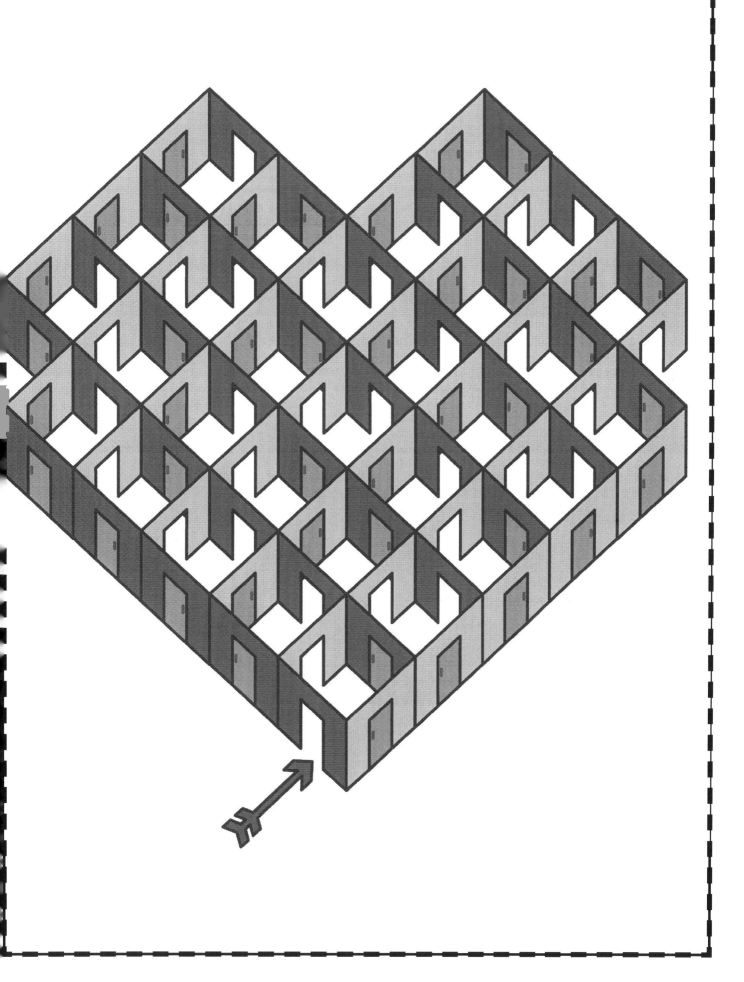

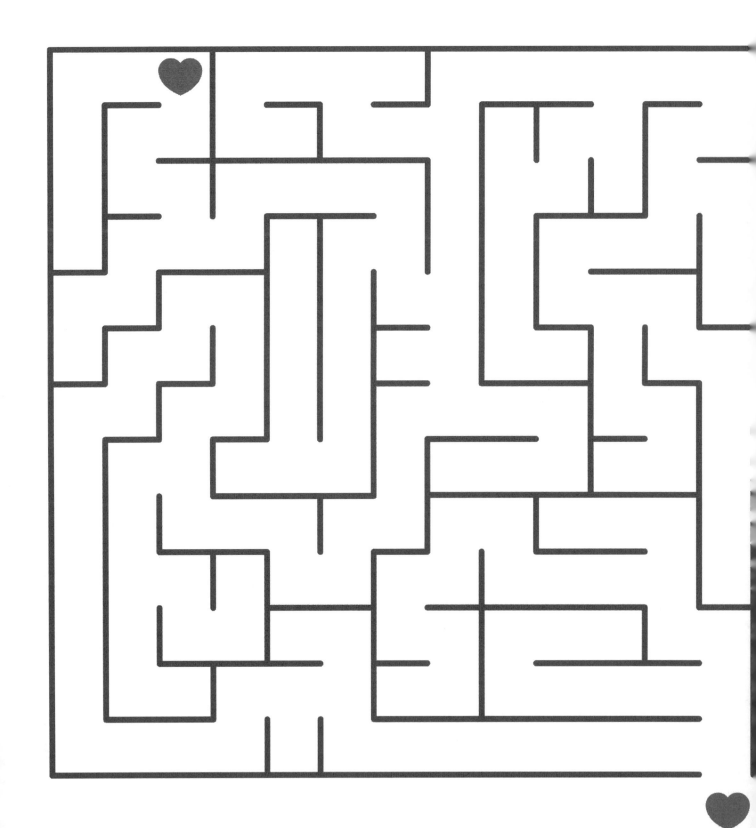

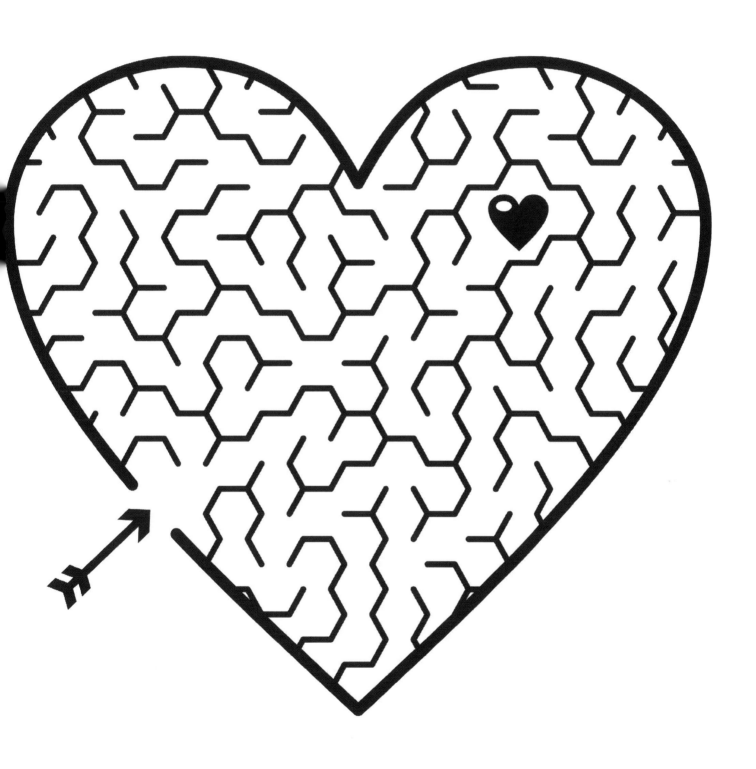

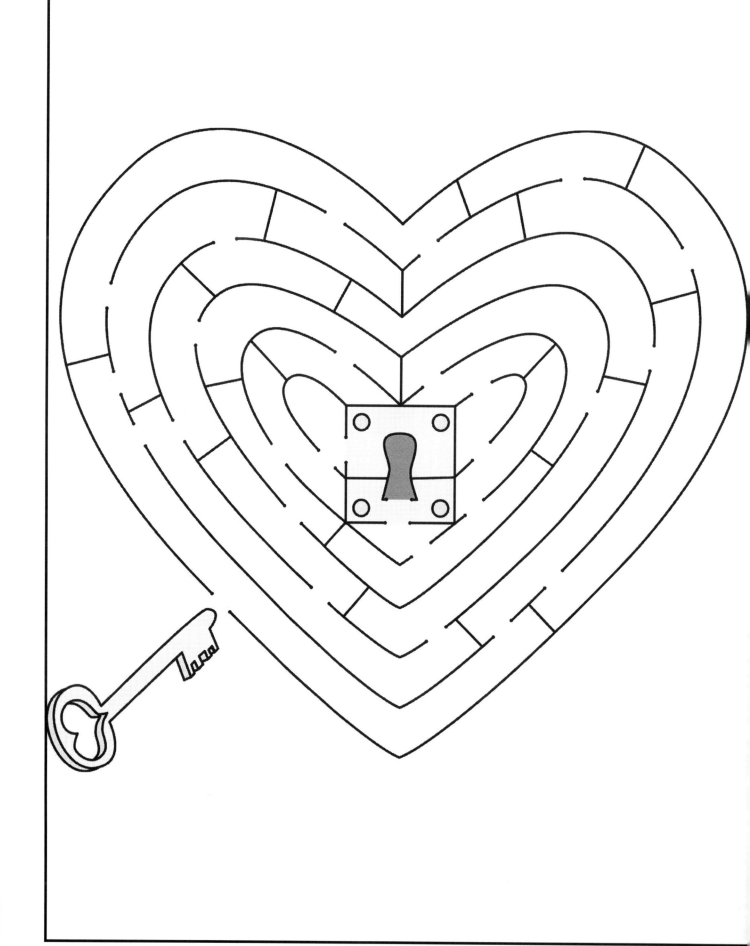

Picture Puzzles

Find 5 Differences

VALENTINE'S DAY
FIND ONE OF A KIND

Find 5 Differences

Coordinate Graphing / Draw by Coordinates

To reveal the mystery picture plot and connect the dots with coordinates:
(14, 6), (12, 3), (9, 6), (12, 4), (13, 6), (13, 7), (12, 9), (9, 7), (3, 12), (5, 12), (7, 11), (9, 12), (11, 12), (12, 11), (13, 9), (13, 7) and (9, 7), (9, 6), (8, 6), (8, 7), (5, 9), (4, 7), (4, 6), (5, 4), (8, 6), (5, 3), (3, 6) and (4, 7), (1, 9), (1, 7), (3, 4), (7, 1), (11, 4).

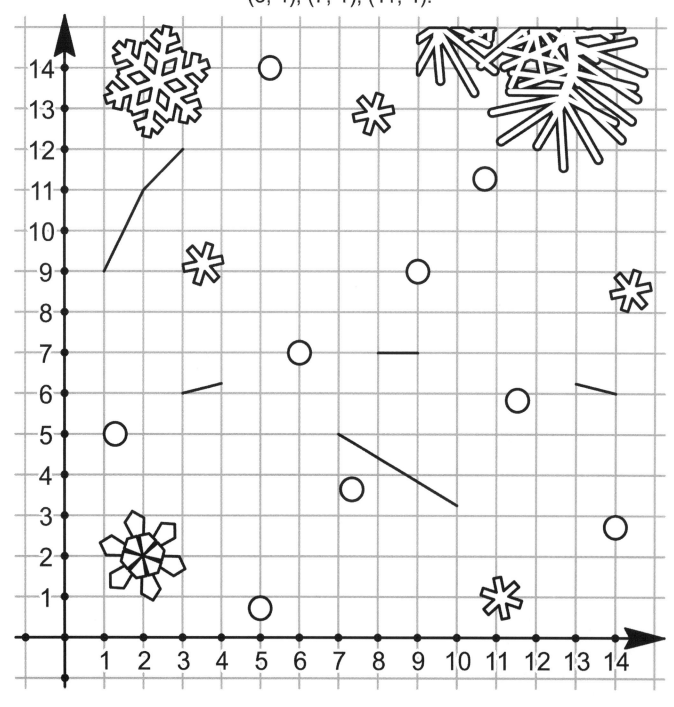

Coordinate Graphing / Draw by Coordinates

To reveal the mystery picture plot and connect the dots with coordinates:
(6, 10), (6, 13), (9, 13), (9, 4), (11, 4), (11, 13), (14, 13), (14, 3), (12, 1), (8, 1), (6, 3), (6, 5), (7, 6), (8, 8), (8, 9), (7, 10), (6, 10), (5, 9), (4, 10), (4, 13), (1, 13), (1, 1), (4, 1), (4, 5), (3, 6), (2, 8), (2, 9), (3, 10), (4, 10).

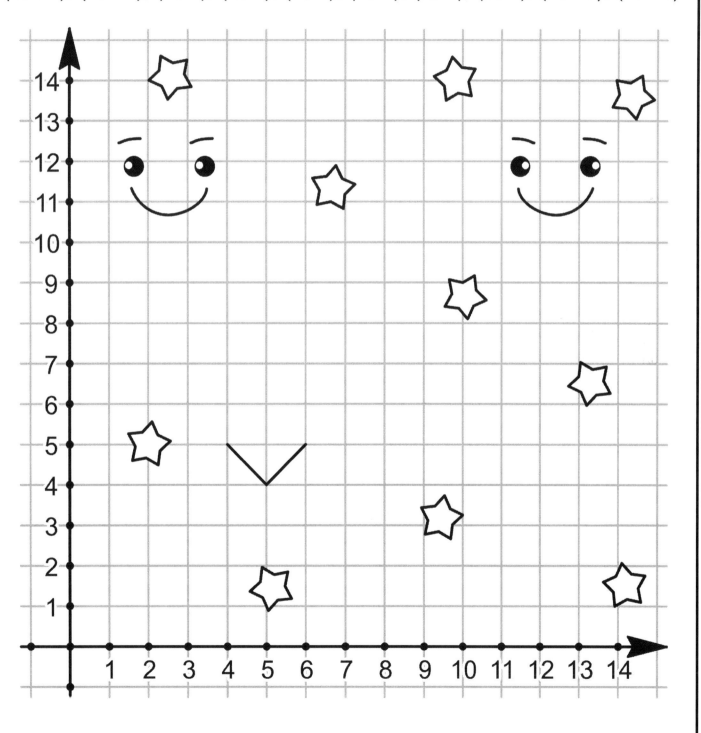

Coordinate Graphing / Draw by Coordinates

To reveal the mystery picture plot and connect the dots with coordinates:
(1, 10), (1, 9), (3, 10), (3, 1), (6, 1), (6, 13), (4, 13), (1, 10)
and (7, 6), (7, 4), (11, 4), (11, 1), (14, 1), (14, 13), (12, 13), (7, 6)
and (9, 6), (11, 9), (11, 6), (9, 6).

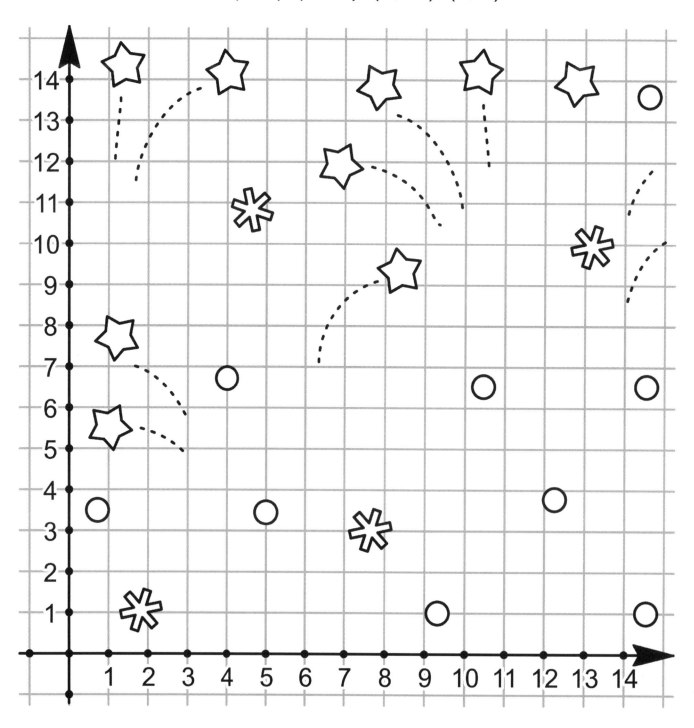

Coordinate Graphing / Draw by Coordinates

To reveal the mystery picture plot and connect the dots with coordinates:
(9, 6), (11, 4), (13, 6), (14, 8), (14, 9), (13, 10), (12, 10), (11, 9), (10, 10), (9, 10),
(8, 9), (8, 8), (9, 6), (8, 5), (7, 5), (6, 6), (7, 8), (7, 9), (6, 10), (5, 10), (4, 9),
(3, 10), (2, 10), (1, 9), (1, 8), (2, 6), (4, 4), (6, 6) and (2, 6), (1, 5), (3, 5), (3, 2),
(1, 2), (2, 3), (3, 3) and (5, 5), (5, 2), (7, 2), (6, 3), (5, 3) and (10, 5), (10, 2),
(14, 2), (13, 3), (12, 3), (12, 2), (11, 3), (10, 3).

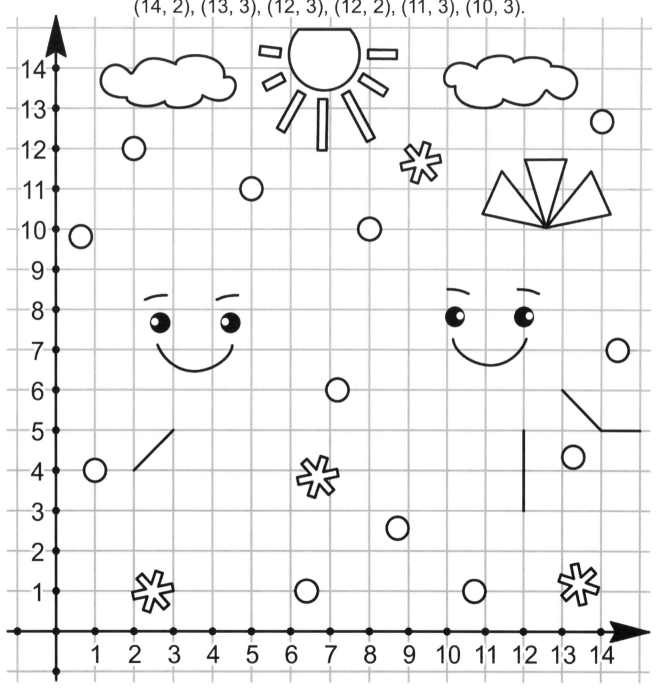

Find 6 Differences

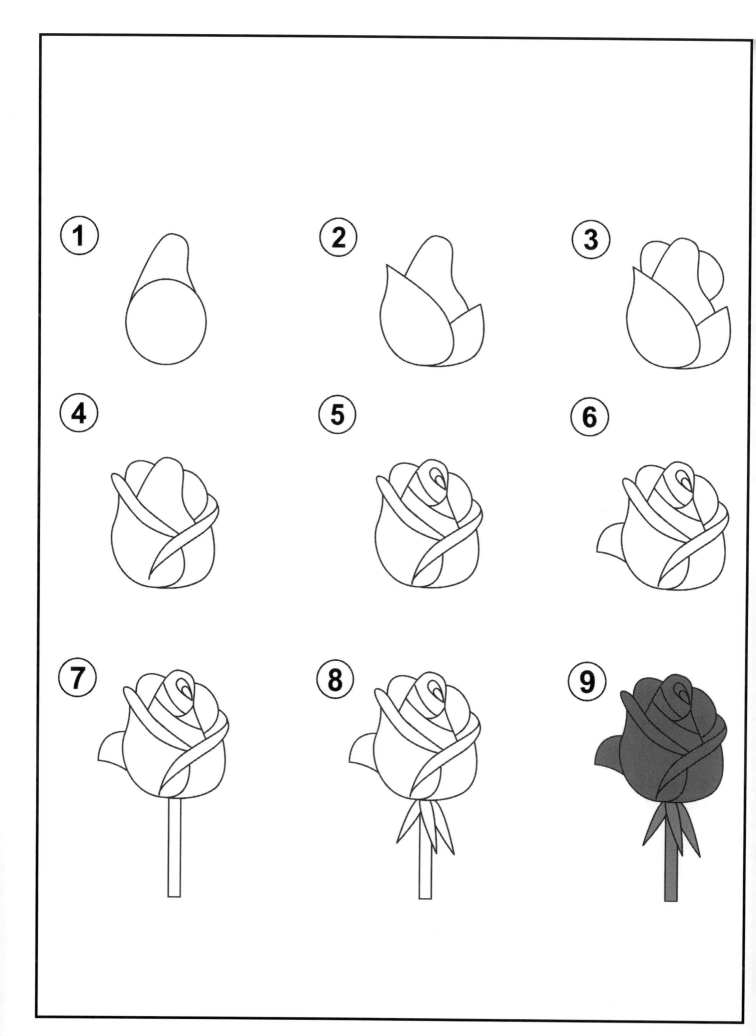

Your Turn to Draw

Your Turn to Draw

Your Turn to Draw

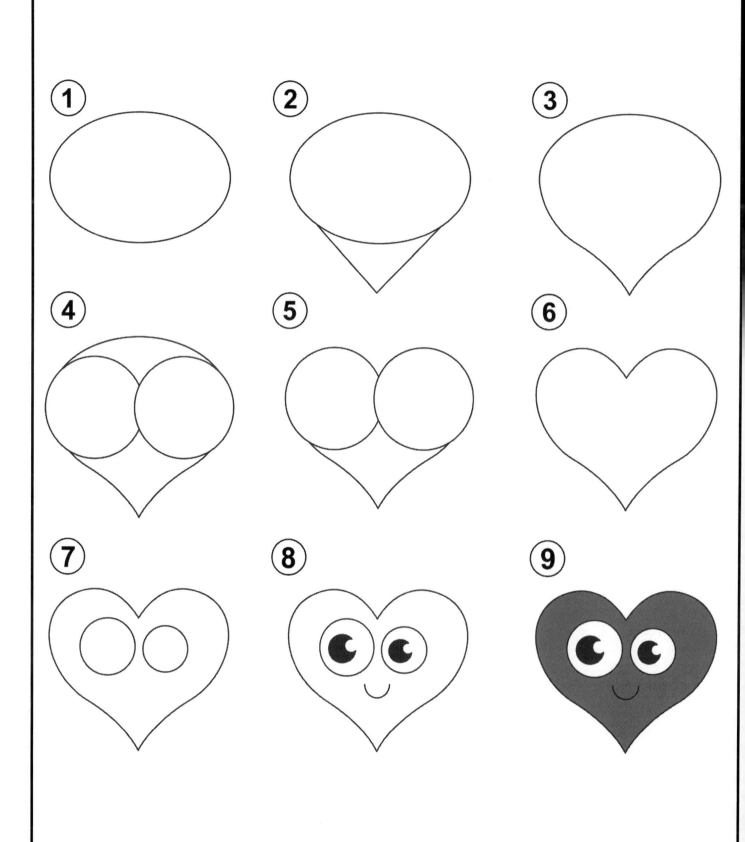

Your Turn to Draw

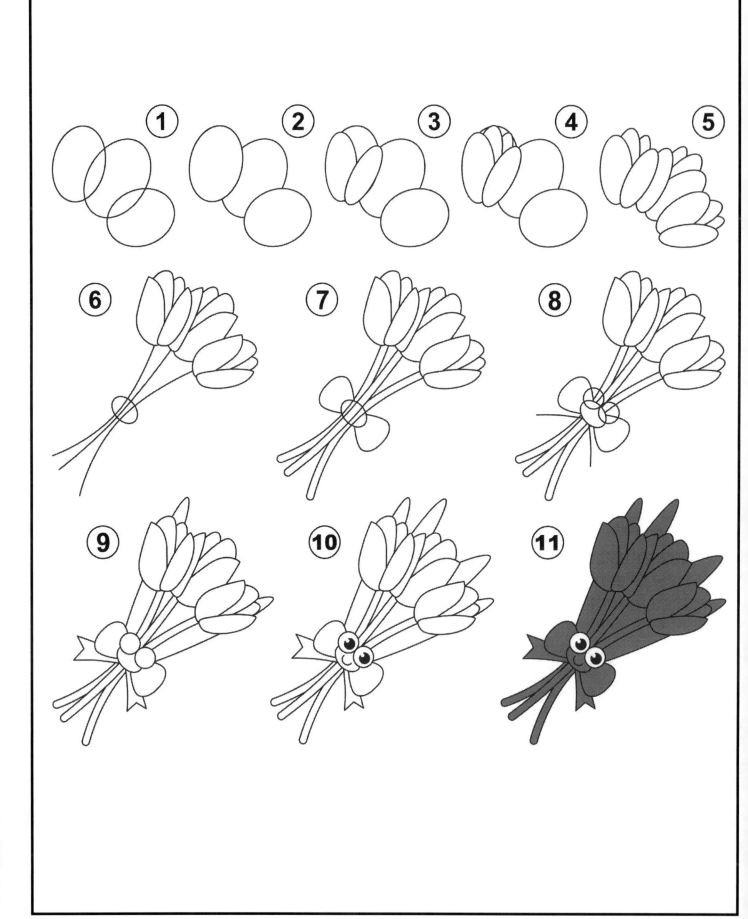

Your Turn to Draw

Use the Grid to Finish the Picture

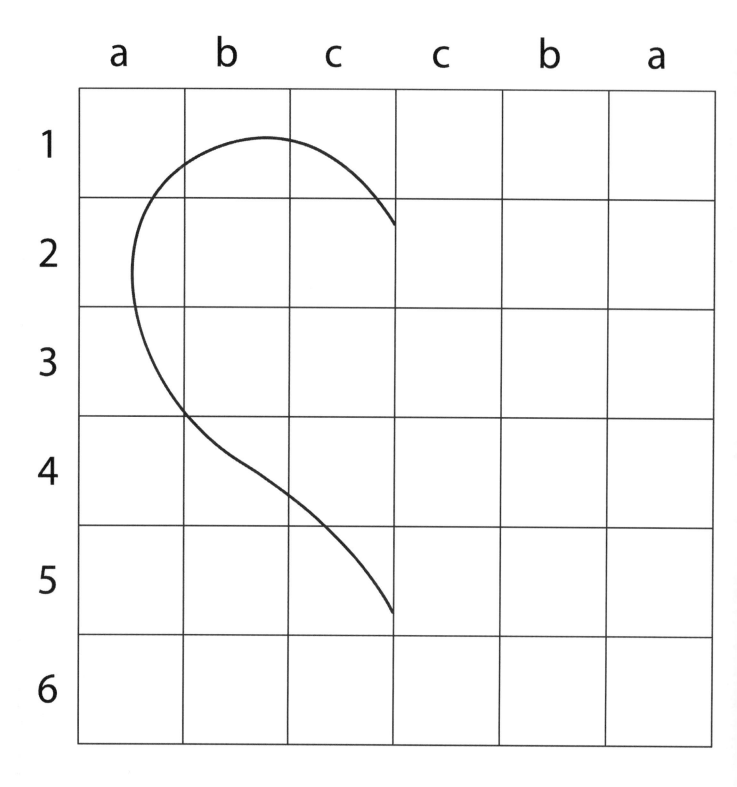

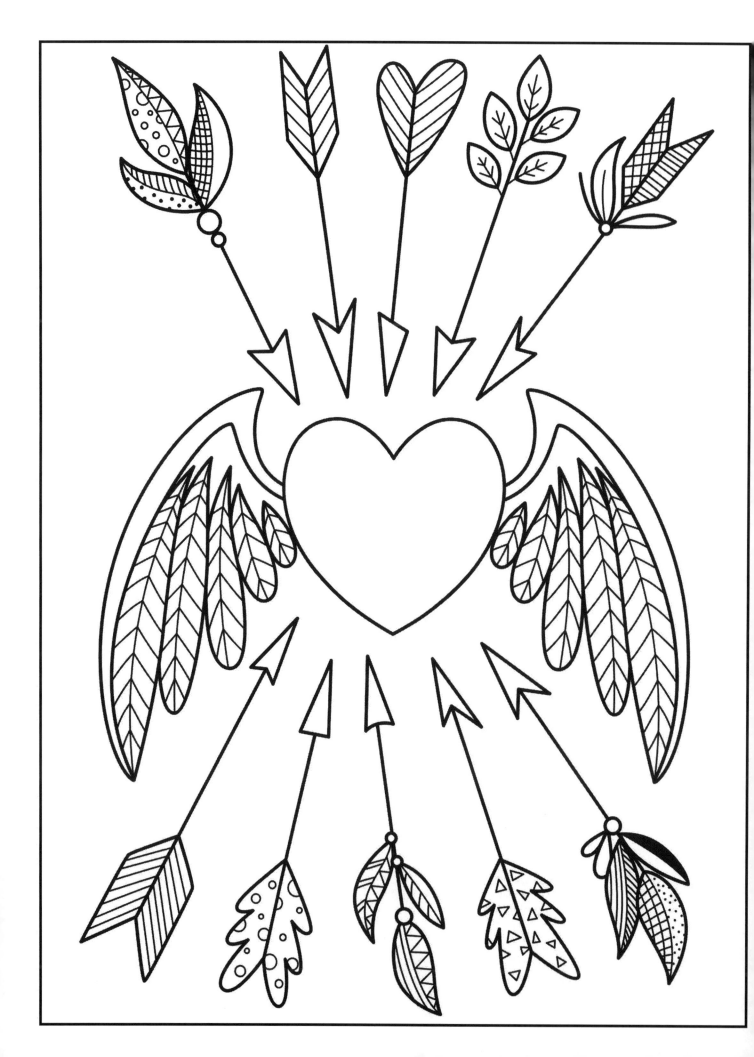

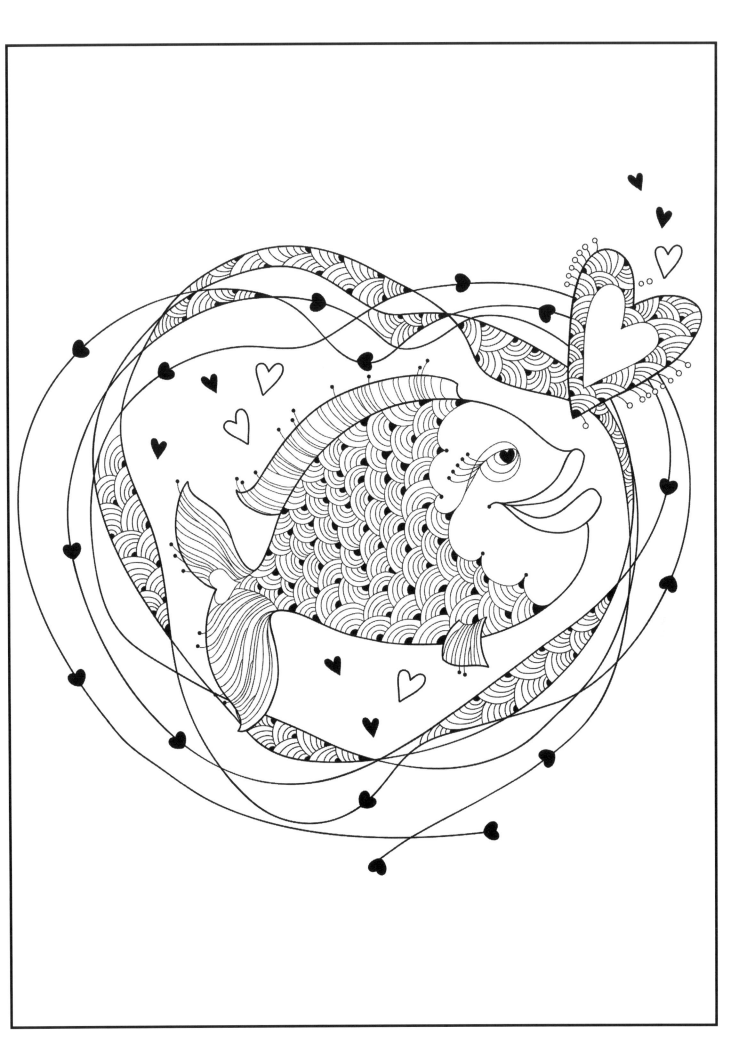

Be My Valentine

```
G Z O H H W G Z K R J L L C T
E K J U K X S O Y Z H B N E A
N U V O Y U B X Z E Y H R C J
I S S E N R E D N E T C P L W
T I T H P D U W X W E H M O H
N M S U G E Y Q Q S E A N V O
E J S M I T T E N P T T U E L
L K Z Y Q R P F O G R D B Q I
A H S Z L O E L S P U T T U D
V B N U J V E D S O E X A L A
K Q M R I V F S P R E O O W Y
N T W U N T I Z Z A T L F W G
I K Q E X K O X O E R R U D B
P E M F L Z Q R Y B E T F R V
N G A H E A R T Y T F E Y L R
```

ENVELOPE	PARTY	SUITOR
HEART	PINK	TENDERNESS
HOLIDAY	RED	TRUE
KISS	SECRET	VALENTINE
LOVE	SMITTEN	WOOER

"C" Words

```
U P E T A L O C O H C Z I L K
I Q C P F C H E R I S H N C O
W U O O S D U B D E A I P R U
D R Z C M Q B U Z P Q I C U L
E X W B E M Q C M X H M A S J
T X Z X D R I S T S X F S H O
A Q D D N C D T T L J R A F V
R N I O C R H R M A J P N R C
B Y P G A A U A Y E R L O M I
E H U C M O R D R F N D V F C
L D C N C Q N E P M Y T A F N
E E H K Y A C A P T I V A T E
C V D J C S A J J P F N X E G
L A I D R O C O N V M K J V L
E F Z D W S U X C O Z Y S N C
```

CANDY	CELEBRATE	CORDIAL
CAPTIVATE	CHARM	COURTSHIP
CARDS	CHERISH	COZY
CARE	CHOCOLATE	CRUSH
CASANOVA	COMMITMENT	CUPID

Candy

```
F I C V Y S U G A R P O C I X
A J V C O N O I T C E F N O C
S L Q Q J V F L E M W G T P X
Y G J C W D U C B Y Q W H M B
J L I C O R I C E L I C H A C
W P O R D M U G F D T E P R G
M A R Z I P A N X O A T R S P
D L S P G T N T C E L A A H U
R I O O I V O S F N X L L M R
U A Z L Y H R F O J E O I A Y
T A U Z L E C B F F W C N L S
E D J K T I N A P E G O E L S
E M O T T O P Q N G E H W O P
W N U X B X O O A D C C E W R
S B S M Z R Y P P X Y B G F P
```

BONBON	GUMDROP	PRALINE
BUTTERSCOTCH	LICORICE	SUGAR
CANDY	LOLLIPOP	SWEET
CHOCOLATE	MARSHMALLOW	SYRUP
CONFECTION	MARZIPAN	TOFFEE

Desserts

```
Q O D E S S E R T S W U M G K
U U Y O E M M S X P V A P F Y
U F A W J Z D C I L E P N L T
S M A R Z I P A N R C P B R D
I P D C S E I P C Y O U A C O
M B A U S I F E W E N T P D E
A S X S S O C J S L F N X E W
R X Q T T I R S X A E R A T S
I B Q A A R U B N I C W T Y E
T D I R D O Y A E Y T Y Z G K
X A R D M E O J Z T I K F Y A
E N O I L G A B A Z O U A F C
C H O N E Y P A D L N B G A P
R G A E W Y S E I K O O C G U
L V K X K C Q B Y F M V A H C
```

CONFECTION   HONEY   PIES

COOKIES   ICE CREAM   SORBET

CUPCAKES   MARZIPAN   TART

CUSTARD   MOUSSE   TIRAMISU

DESSERTS   PASTRY   ZABAGLIONE

February

```
M N T V U V X D L O C M O W G
V M Y R A U R B E F W D G A N
B B L R X L G J W D K O M S O
T N E D I S E R P A H M O H I
U R D K L A V A I D A K Q I T
L R I A R E R R N W C G H N A
V G Y E S E A U Y N T S L G C
Y W A R F T O P O B H A I T A
M H D B Q R O W Y T K V N O V
T Q I H G N O R N E R C C N P
U O L Q G N B O M W A Y O Q D
C I O S S D M G H S K R L R G
N Y H V A L E N T I N E N K O
J D U Q F D P W I N T E R F C
U Z F G L E P Z Y H E Q U L M
```

BREAK	LEAP YEAR	STORMS
COLD	LINCOLN	VACATION
FEBRUARY	MONTHS	VALENTINE
GROUNDHOG	PRESIDENT	WASHINGTON
HOLIDAY	SNOW	WINTER

Card

P	Q	X	H	R	T	N	X	X	Y	D	K	X	L	T
O	T	B	A	Y	M	L	G	I	X	J	K	K	I	N
S	P	T	F	F	Y	N	B	P	K	V	M	I	R	E
T	S	R	G	R	E	E	T	I	N	G	Y	E	O	I
A	C	E	I	P	H	Y	A	G	I	G	P	J	N	P
G	O	D	A	N	X	H	J	O	L	A	E	S	S	I
E	K	O	N	L	T	N	D	L	P	T	C	I	S	C
L	U	F	T	H	G	U	O	H	T	D	I	G	E	E
C	F	O	R	K	U	Z	J	M	R	F	F	N	R	R
L	E	T	T	E	R	P	R	A	U	W	F	A	D	Q
S	B	X	S	A	G	H	C	D	I	C	O	T	D	U
T	W	F	G	N	I	S	O	L	C	I	T	U	A	U
A	N	V	A	L	E	N	T	I	N	E	S	R	Q	W
M	V	D	H	S	C	C	Y	C	E	Y	O	E	A	J
P	D	W	Y	U	J	L	P	T	P	M	P	X	F	X

ADDRESS	PAPER	SEAL
CARD	POST OFFICE	SIGNATURE
CLOSING	POSTAGE	STAMP
GREETING	PRINT	THOUGHTFUL
LETTER	RECIPIENT	VALENTINE

"R" Words

```
T D E N R D G S W S Y I E P J
A E R D Y E F R C T J K I N G
Y R E Z R Z L G A M S H P O N
S N M P E I S A W P S F W B I
X R E V J N G Q X N T E U B T
T W M T O C S L O A C U I I E
E S B X I F C I Y N T R R R V
N O E Q C Y T Y A Z W I B E I
B I R S E A X M X B X T O H R
D W C S L H O S W Y A Y Q N F
W O V E I R U R E S P E C T X
X P R O E M O R R E L I S H C
T E L B A K R A M E R Q N V V
B S D R A G E R N Z O E H T J
X Y D F S Z R E V E R E N C E
```

RAPTURE	RELAXATION	REVERENCE
RED	RELISH	RIBBON
REGARDS	REMARKABLE	RIVETING
REJOICE	REMEMBER	ROMANCE
RELATIONSHIP	RESPECT	ROMEO

Sweets

```
N L C U X R N D F C W B B Q L
P G W X A W K Q W I A P J P E
K L Y G U H G K K R T N V Z M
C Z U E B T R E S S E D D D A
R S S T R A E H T E E W S Y R
I E P U D D I N G N L Q V J A
V C N B R N I T D O O R E B C
S X E F B C B A S I L K Q X B
C H O C O L A T E T L E K A C
F S N L R T E M A C I T T I O
I K Y U Y E U N I E P W O O B
T F L R W G A W E F O I F J R
X E R S U X L M Y N P C F Q H
Q D R I F P G B P O S R E S U
W A G P T K X Q I C F N E T P
```

CAKE	DESSERT	SUGAR
CANDY	GUM	SWEETHEARTS
CARAMEL	ICE CREAM	SWEETS
CHOCOLATE	LOLLIPOP	SYRUP
CONFECTION	PUDDING	TOFFEE

Wedding

```
W C I A E N G A G E M E N T F
X E Q M I Z W G I L P Z Q H S
A R D U R S D E I R R A M T S
S E T D P I L U F Q T L X R I
N M C G I M X E I V D D R D K
P O F R D N X C E E V E I N U
G N P X I E G F H Y C W N A V
R Y G K D G I T Q A A Y G B S
O E U I Y W O B A K R L X S U
O X R B A R Y S L T H W J U I
M B W R T B T O A S T E C H W
E B U E E R S B L J N N Y I X
B H B N J Q G C N P C T U Q J
J S N B D S N O O M Y E N O H
M N H G J V O I K C R I Z J B
```

AISLE	GROOM	NEWLYWED
BETROTHED	HONEYMOON	RING
BRIDE	HUSBAND	TOAST
CEREMONY	KISS	WEDDING
ENGAGEMENT	MARRIED	WIFE

How to Play Sudoku

- Use numbers 1-4
- Fill each 2 x 2 box so it only contains 1 of each number
- Make sure each row across and column down also contains only 1 of each number

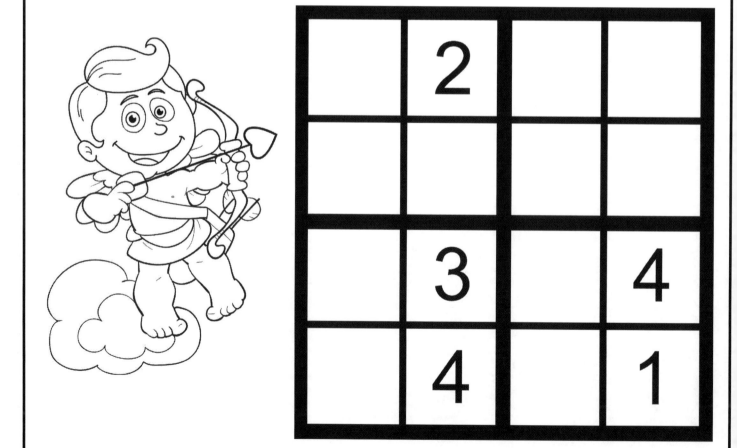

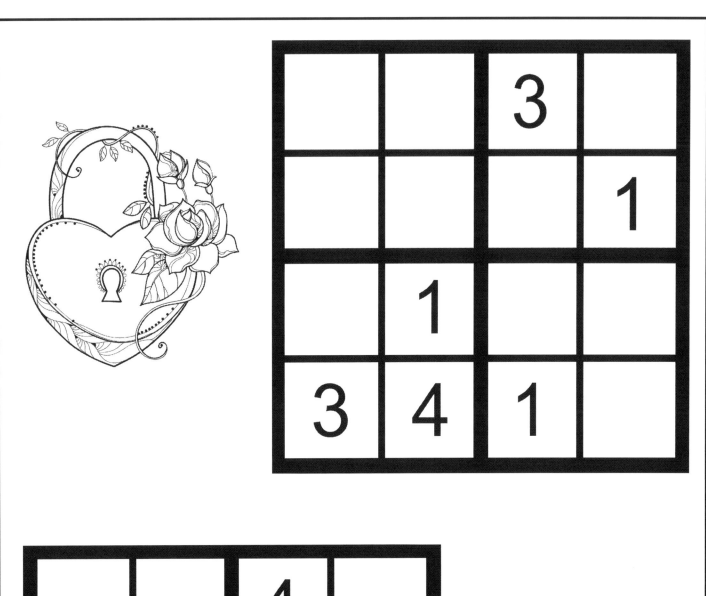

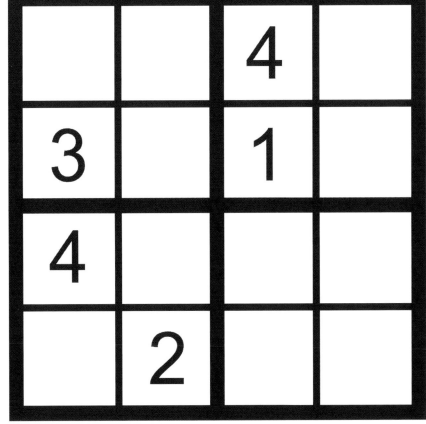

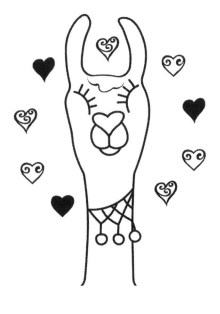

How to Play Sudoku

- Use numbers 1-9
- Fill each 3 x 3 box so it only contains 1 of each number
- Make sure each row across and column down in the larger grid also contains only 1 of each number

Top puzzle:

	7		2					
3	4			8				7
9	1					3		5
4		7			9	2	6	
	9		5	2			7	
			7					
			8					1
7		8	9		1			3
1			6	7			5	

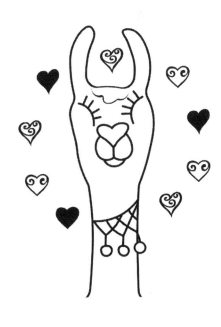

Bottom puzzle:

					3			
1		8	2	4		7		
	6	4	5			1		
		3	4					
9						4		8
		1	8				5	
	9		7			8		
		2				5		
	8			1	2		9	

Puzzle 1:

					5	2		6
								9
6		1				4	3	
	4		8	3		6		7
2	1			5				
	7	3		6		5	4	
	9		1	4		3		
				2		8	7	
	8	4				1	9	2

Puzzle 2:

8			2			5		4
							9	
			6	4			2	
				3		6		
				7		1	8	
3			6	9	2			
		3	5			7		
	4	8			6			
7	9							

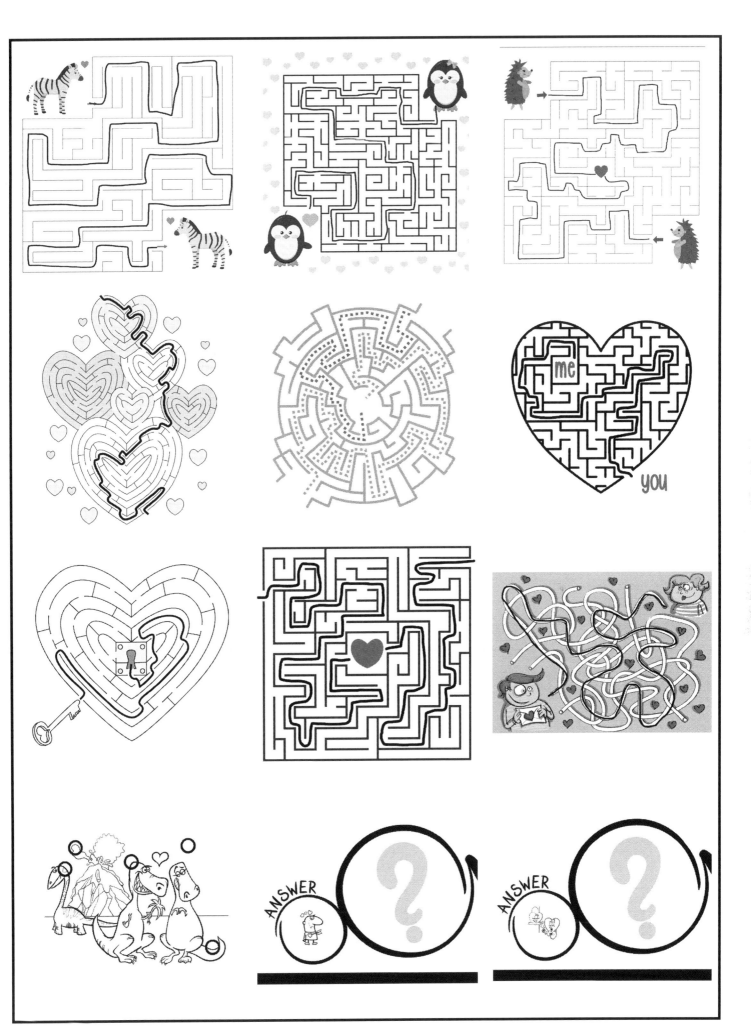

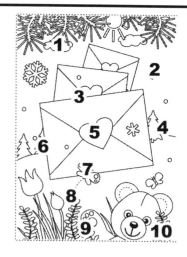

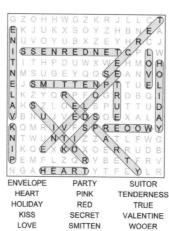

ENVELOPE	PARTY	SUITOR
HEART	PINK	TENDERNESS
HOLIDAY	RED	TRUE
KISS	SECRET	VALENTINE
LOVE	SMITTEN	WOOER

CANDY	CELEBRATE	CORDIAL
CAPTIVATE	CHARM	COURTSHIP
CARDS	CHERISH	COZY
CARE	CHOCOLATE	CRUSH
CASANOVA	COMMITMENT	CUPID

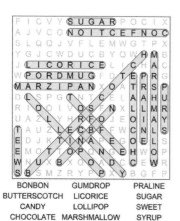

BONBON	GUMDROP	PRALINE
BUTTERSCOTCH	LICORICE	SUGAR
CANDY	LOLLIPOP	SWEET
CHOCOLATE	MARSHMALLOW	SYRUP
CONFECTION	MARZIPAN	TOFFEE

CONFECTION	HONEY	PIES
COOKIES	ICE CREAM	SORBET
CUPCAKES	MARZIPAN	TART
CUSTARD	MOUSSE	TIRAMISU
DESSERTS	PASTRY	ZABAGLIONE

BREAK	LEAP YEAR	STORMS
COLD	LINCOLN	VACATION
FEBRUARY	MONTHS	VALENTINE
GROUNDHOG	PRESIDENT	WASHINGTON
HOLIDAY	SNOW	WINTER

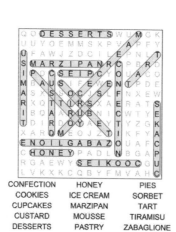

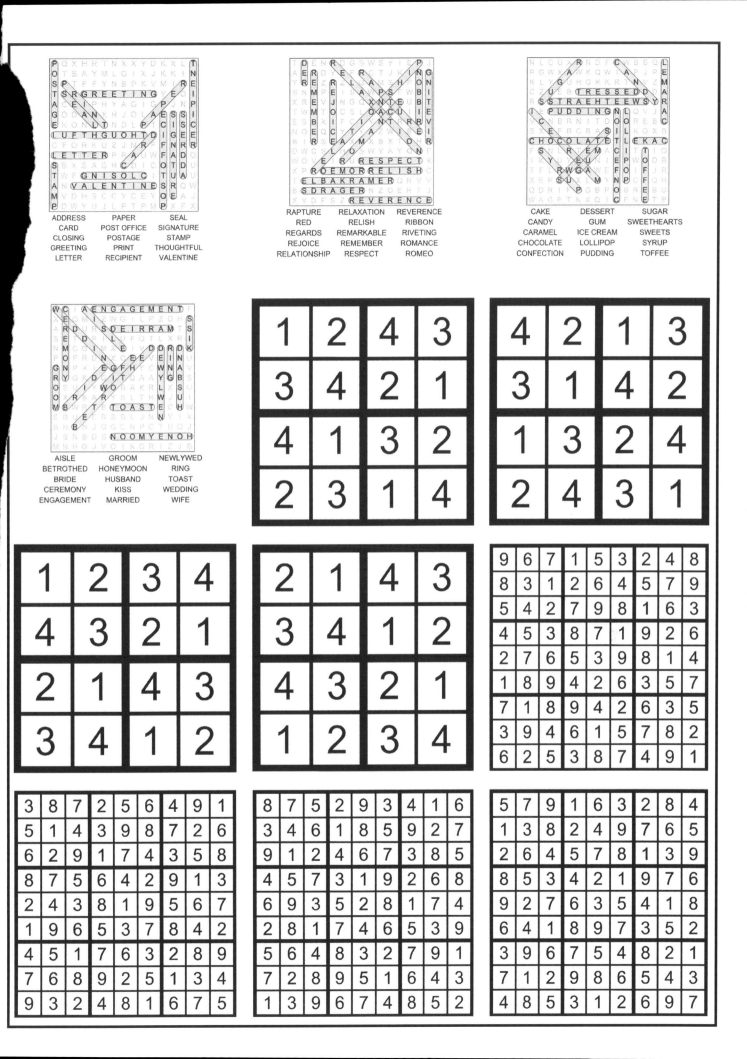

9	3	7	4	8	5	2	1	6
4	2	8	6	1	3	7	5	9
6	5	1	2	9	7	4	3	8
5	4	9	8	3	1	6	2	7
2	1	6	7	5	4	9	8	3
8	7	3	9	6	2	5	4	1
7	9	2	1	4	8	3	6	5
1	6	5	3	2	9	8	7	4
3	8	4	5	7	6	1	9	2

8	7	9	2	1	3	5	6	4
6	2	4	8	5	7	9	3	1
1	3	5	9	6	4	8	2	7
4	5	7	1	3	8	6	9	2
9	6	2	4	7	5	1	8	3
3	8	1	6	9	2	4	7	5
2	1	3	5	8	9	7	4	6
5	4	8	7	2	6	3	1	9
7	9	6	3	4	1	2	5	8

Made in the USA
Middletown, DE
03 February 2021